LES PLUS BELLES COMPTINES ALLEMANDES

ILLUSTRATIONS

Rémi Saillard couverture, p. 4, 10, 16, 18, 22, 24, 30, 32, 38

Olivier Latyk p. 6, 8, 12, 14, 20, 26, 28, 34, 36, 40

Cécile Hudrisier p. 46 à 54 (gestuelles)

COLLECTAGE ET COMMENTAIRES

Claire Abbis-Chacé institutrice et bibliothécaire

Marion Colonna d'Istria et Angelica Eggert
animatrices d'un jardin d'enfants franco-allemand

avec la collaboration de Françoise Lutz

Didier Jeunesse
Les Petits cousins

PUNKT, PUNKT

Punkt, Punkt,
Komma, Strich,
Fertig ist das Mondgesicht.

AU CLAIR DE LA LUNE

Au clair de la lune,
Mon ami Pierrot,
Prête-moi ta plume,
Pour écrire un mot.

Ma chandelle est morte,
Je n'ai plus de feu,
Ouvre-moi ta porte,
Pour l'amour de Dieu.

KOMMT EINE MAUS

Kommt eine Maus,
Die geht ins Haus,
Will da rein,
Will da rein,
Will da rein!

C'EST LA PETITE BÊTE QUI MONTE

C'est la petite bête
Qui monte, qui monte au grenier,
Le chat qui veut l'attraper,
Guili, guili, guili...

HOPP, HOPP, HOPP

♫ Hopp, hopp, hopp,
Pferdchen, lauf Galopp!
Über Stock und über Steine,
Aber brich dir nicht die Beine!
Hopp, hopp, hopp, hopp, hopp,
Pferdchen, lauf Galopp!

À cheval sur mon bidet,
Quand il trotte il fait des pets !
Prout, prout, prout, cadet !
Au pas, au pas, au pas.
Au trot, au trot, au trot.
Au galop, au galop, au galop !
À Versailles...

QUAND JE SUIS MONTÉ

Quand je suis monté sur le plus gros,
J'ai eu trop chaud.
Quand je suis monté sur le plus pointu,
Je n'ai rien vu.
Quand je suis monté sur le plus grand,
J'ai eu mal aux dents.
Quand je suis monté sur le plus beau,
J'ai eu mal au dos.
Quand je suis monté sur le plus petit,
J'ai dit : « Ça me suffit ! »

KLOPF, KLOPF, KLOPF

Klopf, klopf, klopf!
Wer ist da?
Ich bin da!
Komm herein!
Guten Tag!
Guten Tag!

DAS IST DER DAUMEN

Das ist der Daumen,
Der schüttelt die Pflaumen,
Der hebt sie auf,

Der trägt sie nach Haus,
Und der Kleine,
Der ißt sie alle auf!

MEINE AUGEN SIND VERSCHWUNDEN

♫♪ Meine Augen sind verschwunden,
Ich habe keine Augen mehr.
Ei, da sind meine Augen wieder,
Tralalalalalala!

(... meine Ohren, meine Nase,
meine Wangen, usw.)

Ei so tanzt der Ham-pel-mann, ei so tanzt der

Ham - pel - mann, mit dem Kopf, Kopf, Kopf,

ei so tanzt der Ham - pel - mann!

EI SO TANZT DER HAMPELMANN

♫♪ Ei so tanzt der Hampelmann,
Ei so tanzt der Hampelmann,
Mit dem Kopf, Kopf, Kopf,
Ei so tanzt der Hampelmann!

(... mit der Hand, mit dem Arm,
mit dem Fuß, usw.)

JEAN PETIT QUI DANSE

Jean Petit qui danse, (bis)
De son doigt il danse, (bis)
De son doigt, doigt, doigt,
Ainsi danse Jean Petit.

(... de sa main, de son bras,
de tout son corps, etc.)

DIE KLEINE SCHNECKE MAX

♪♪ Die kleine Schnecke Max,
Wollt' sich die Welt beseh'n,
Nahm's Häuschen huckepack
Und sagt: „Auf Wiederseh'n".

Die klei - ne Schne - cke Max, wollt'

sich die Welt be - seh'n, nahm's Häus-chen hu-cke - pack und

sagt: „Auf Wie - der - seh'n".

PETIT ESCARGOT

♪♪ Petit escargot
Porte sur son dos
Sa maisonnette.
Aussitôt qu'il pleut,
Il est tout joyeux,
Il sort sa tête.

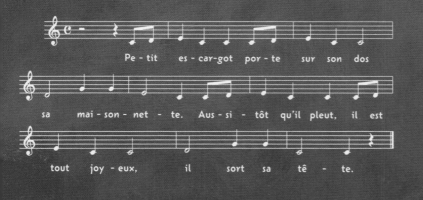

Pe - tit   es - car - got   por - te   sur   son   dos

sa   mai - son - net - te.   Aus - si - tôt   qu'il pleut,   il est

tout   joy - eux,   il   sort   sa   tê - te.

IN DEM WALD

In dem Wald da steht ein Haus,
Schaut ein Reh zum Fenster raus.
Kommt ein Häslein angerannt,
Klopft an die Wand.
„Hilfe, hilfe große Not,
Sonst schießt mich der Jäger tot!
— Armes Häschen komm herein,
Reich' mir deine Hand."

In dem Wald da steht ein Haus, schaut ein Reh zum
Fen – ster raus. Kommt ein Häs – lein an – ge – rannt,
klopft an die Wand. „Hil – fe, hil – fe gro – ße Not,
sonst schießt mich der Jä – ger tot! – Ar – mes Häs – chen
komm her – ein, reich' mir dei – ne Hand."

UN GRAND CERF

Dans sa maison, un grand cerf
Regardait par la fenêtre,
Un lapin venir à lui
Et frapper chez lui :
« Cerf, cerf, ouvre-moi,
Ou le chasseur me tuera.
— Lapin, lapin, entre et viens
Me serrer la main. »

LA BARBICHETTE

Je te tiens, tu me tiens,
Par la barbichette.
Le premier de nous deux qui rira
Aura une tapette.

BRÜDERCHEN KOMM TANZ MIT MIR

♪♫ Brüderchen komm tanz mit mir,
Beide Hände reich' ich dir.
Einmal hin, einmal her,
Rundherum, das ist nicht schwer!

(Schwesterchen, komm tanz mit mir...)

Brü - der - chen komm tanz mit mir, bei - de Hän-de

reich' ich dir. Ein - mal hin, ein - mal her,

rund - he - rum, das ist nicht schwer!

MEIN RECHTER PLATZ IST LEER

Mein rechter, rechter Platz ist leer,
Da wünsch' ich mir den Thomas her!

TSCHU - TSCHU - TSCHU

Tschu – Tschu – Tschu
Die Eisenbahn!
Wer will mit nach München fahr'n?

Alleine fahren mag ich nicht,
Da nehme ich den Julian mit!
Komm, komm, Julian!

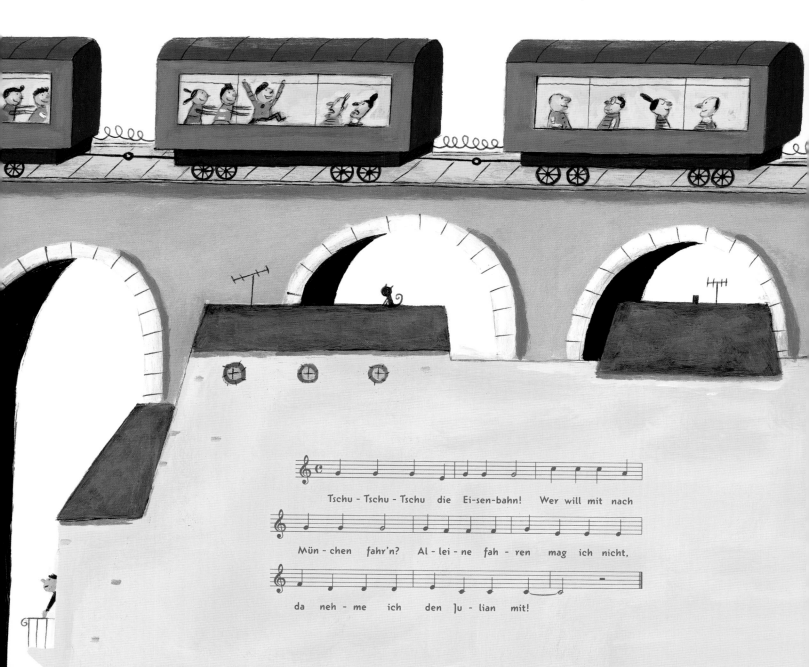

ROULEZ CHEMINS DE FER

♫♪ Roulez, roulez, chemins de fer roulez,
Comme ça marche, comme ça marche.
Roulez, roulez, chemins de fer roulez,
Comme ça marche, regardez.

HÄSCHEN IN DER GRUBE

♫♪ Häschen in der Grube,
Saß und schlief,
Saß und schlief.
Armes Häschen bist du krank,
Daß du nicht mehr hüpfen kannst?
Häschen hüpf, Häschen hüpf, Häschen hüpf!

Häs - chen in der Gru - be, saß — und — schlief,

saß — und — schlief. Ar - mes Häs - chen bist du krank,

daß du nicht mehr hüp - fen kannst? Häs - chen hüpf,

Häs - chen hüpf, Häs - chen hüpf!

MON PETIT LAPIN

🎵🎵 Mon petit lapin a bien du chagrin,
Il ne saute plus dans son p'tit jardin.
Saute ! Saute ! Saute, mon petit lapin !
Et dépêche-toi d'embrasser quelqu'un
Que tu aimes bien.

Mon pe - tit la - pin a bien du cha - grin, il ne sau - te

plus dans son p'tit jar - din. Sau - te ! Sau - te !

Sau - te, mon pe - tit la - pin ! Et dé - pê - che - toi d'em - bras-

ser quel - qu'un que tu ai - mes bien.

ICH UND DU

Ich und du,
Müllers Kuh,
Müllers Esels,
Der bist du!

UN PETIT COCHON PENDU AU PLAFOND

Un petit cochon
Pendu au plafond,
Tirez-lui la queue,
Il pondra des œufs,
Tirez-lui plus fort,
Il pondra de l'or.
De l'or ou de l'argent,
De l'argent tu seras dedans,
De l'or tu seras dehors.

EINE KLEINE MICKEYMAUS

Eine kleine Mickeymaus
Zieht ihre Hose aus,
Zieht sie wieder an
Und du bist dran!

PIN-PON D'OR

Pin-pon d'or,
À la rigolette,
Pin-pon d'or,
La voilà dehors !

DAS IST DIE KATZE

Das ist die Katze,
Die macht: „Miau!"
Das ist der Hund,
Der macht: „Wau-wau!"
Das ist die Kuh,
Die macht: „Muh-muh!"
Das ist das Schaf,
Das macht: „Mäh-mäh!"
Das ist das Schweinchen,
Das macht: „Chr-chr-chr!"

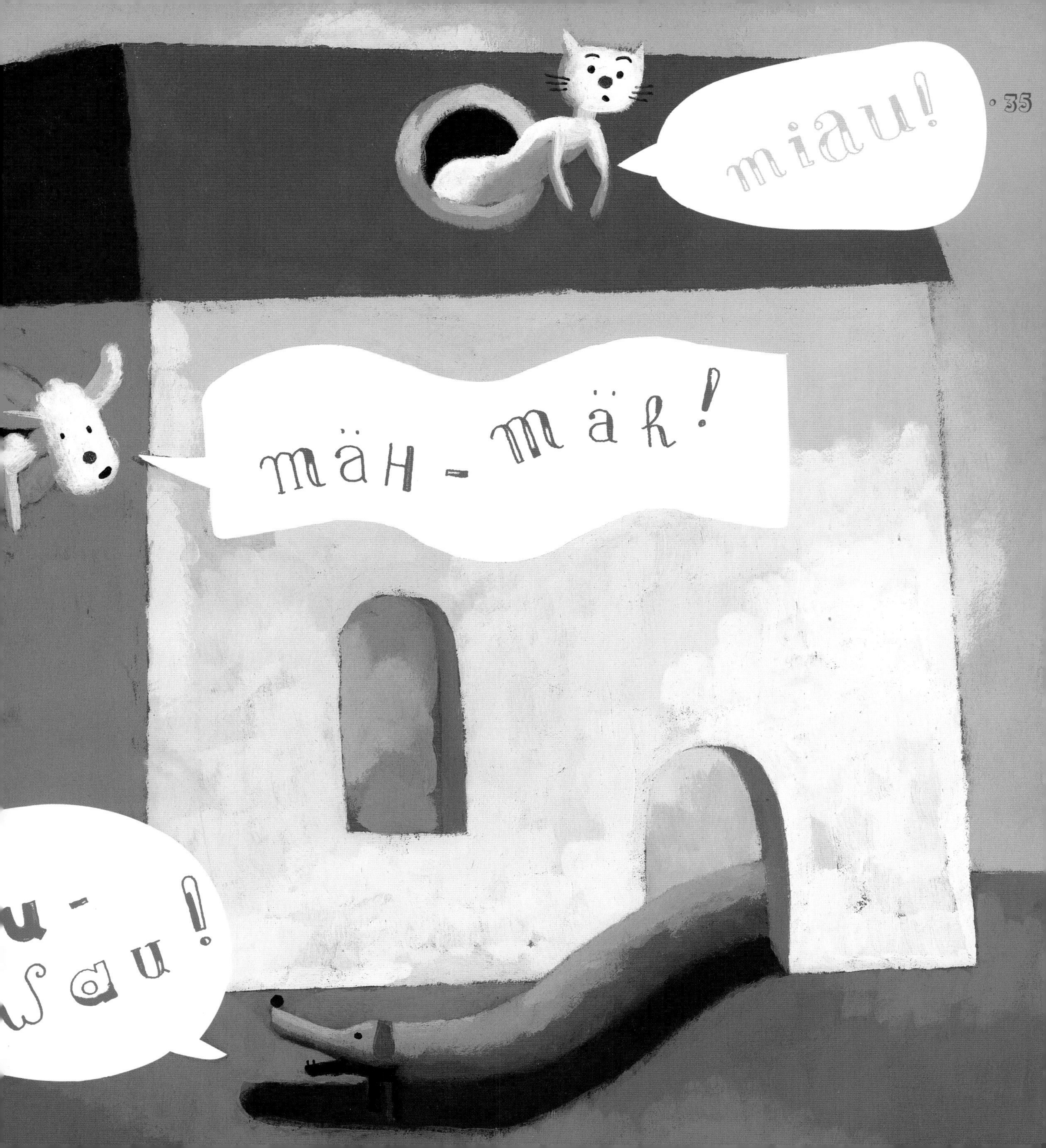
miau!
mäh-mäh!
u-
wau!

ALLE MEINE ENTCHEN

♫♪ Alle meine Entchen
Schwimmen auf dem See,
Schwimmen auf dem See,
Köpfchen in das Wasser,
Schwänzchen in die Höh.

Al - le mei - ne Ent-chen schwim-men auf dem See,

Köpf-chen in das Was - ser, Schwänz-chen in die Höh.

LES PETITS POISSONS DANS L'EAU

♪ Les petits poissons dans l'eau
Nagent, nagent, nagent, nagent,
Les petits poissons dans l'eau
Nagent aussi bien que les gros.
Les gros, les petits,
Nagent bien aussi,
Les petits, les gros,
Nagent comme il faut.

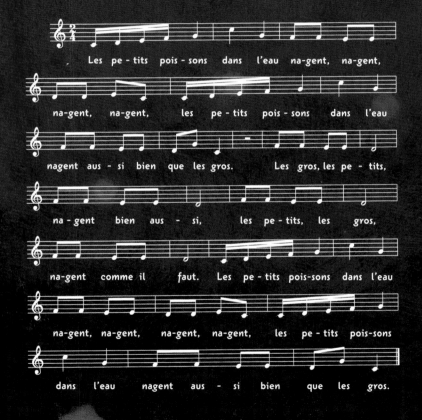

ADVENT, ADVENT

Advent, Advent
Ein Lichtlein brennt.
Erst eins,
Dann zwei,
Dann drei,
Dann vier,
Dann steht das Christkind vor der Tür.

KLING, GLÖCKCHEN

♪♪ Kling, Glöckchen, klingelingeling,
Kling, Glöckchen, kling!
Laßt mich ein ihr Kinder,
Ist so kalt der Winter,
Öffnet mir die Türen,
Laßt mich nicht erfrieren!
Kling, Glöckchen, klingelingeling,
Kling, Glöckchen, kling!

40 °

DODO, L'ENFANT DO

♪♪ Dodo, l'enfant do,
L'enfant dormira bien vite,
Dodo, l'enfant do,
L'enfant dormira bientôt.

C'est la petite poulette rousse,
Qui a pondu sur la mousse,
Un joli petit coco,
Pour Lucas qui va faire dodo.

SCHLAF, KINDLEIN, SCHLAF

♪♪ Schlaf, Kindlein, schlaf,
Der Vater hüt die Schaf,
Die Mutter schüttelt's Bäumelein,
Da fällt herab ein Träumelein.
Schlaf, Kindlein, schlaf.

LES COMMENTAIRES

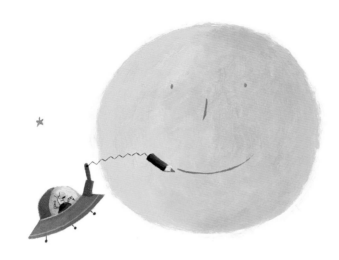

INTRODUCTION

Cet album-CD présente des comptines françaises et allemandes.

Seules les formulettes à compter et à désigner sont à proprement parler des comptines. Mais, pour plus de commodité, nous avons aussi regroupé sous ce terme des jeux de nourrice, des berceuses, des danses, des chansons et des formulettes de jeux.

On les retrouve dans toutes les cultures du monde. D'une langue à l'autre, les comptines sont cousines et nous nous sommes amusés à les marier. Les correspondances peuvent être thématiques, musicales ou gestuelles... Mais toutes nous parlent le langage du plaisir et de la poésie !

POURQUOI PRÉSENTER AUX JEUNES ENFANTS DES COMPTINES EN LANGUE ÉTRANGÈRE ?

Il faut d'abord redire toute la richesse de cette vieille tradition orale transmise par l'entourage de l'enfant. Il écoute, puis mime et chante ces textes et devient ainsi sensible au rythme, à la saveur de sa langue maternelle, à la poésie et à l'humour de sa culture.

À partir de cette tradition, nous souhaitons lui proposer une ouverture vers une autre langue, une autre culture, par un lent processus d'imprégnation. En effet, les jeunes enfants ont encore une souplesse qui leur permet d'imiter et d'assimiler avec facilité toutes les intonations des langues étrangères.

Il ne s'agit pourtant pas d'un « apprentissage » systématique : ces jeux, à la fois corporels et verbaux, doivent rester spontanés, fondés sur un climat de confiance et de complicité.

Nous souhaitons offrir à l'enfant une « sensibilisation » plus qu'une véritable « initiation » à l'allemand.

C'est tout le plaisir de communiquer qui incitera l'enfant à dire et redire ces textes sans cesse et, au-delà des quelques jeux qu'ils entraînent, à comprendre et mémoriser de manière ludique et intuitive cette autre langue qu'est l'allemand.

OÙ SONT LES TRADUCTIONS ?

Les traductions des textes allemands figurent à la fin du livre, et non en vis-à-vis des textes. C'est délibéré. Il est préférable en effet d'aborder une langue étrangère sans le recours systématique à la traduction.

On garde ainsi toute la saveur de la version originale, on évite la répétition inhérente à la traduction et surtout on n'isole pas les mots du contexte qui leur donne un sens puisque l'on propose à l'enfant de parler en situation (ici en situation de jeu) ; actif, il perfectionne ainsi son imitation et intègre comme un réflexe la syntaxe, la prononciation et le sens de la langue étrangère.

COMMENT L'ENFANT PEUT-IL COMPRENDRE CES COMPTINES ?

Là aussi, on peut faire le rapprochement avec le tout-petit qui ne parle pas encore. Il structure son langage et sa pensée grâce à ses perceptions sensibles (visuelles, sonores...). C'est par un constant aller-retour entre ce qu'il voit, ce qu'il entend, ce qu'il vit et dit qu'il élabore petit à petit sa compréhension.

Cet album est conçu pour inciter l'enfant, sollicité et accompagné par l'adulte, à établir des correspondances entre les différents repères dont il dispose avec le livre, le CD et surtout avec le jeu vécu à partir des différentes comptines.

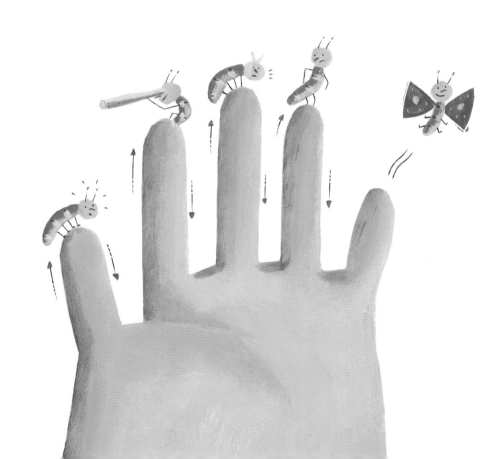

COMMENT LES COMPTINES SE RÉPONDENT-ELLES ?

Les comptines cousines présentent des correspondances qui sont de plusieurs types :

– correspondances gestuelles

L'enfant connaît généralement les comptines françaises et la gestuelle qui les accompagne. Celle-ci est proche (voire identique) de la gestuelle du (des) texte(s) allemand(s). C'est grâce à cette gestuelle commune que l'enfant aborde les comptines allemandes, les comprend puis les mémorise.

– correspondances thématiques

Les sujets traités par les comptines françaises et allemandes associées sont souvent proches et donnent à l'enfant des indices sur le contenu des textes en langue étrangère.

– correspondances visuelles

Les illustrations sont des clefs de compréhension véritables car elles donnent à la fois une vision globale de l'histoire et des détails sur les lieux et/ou les personnages.

– correspondances sonores

Le CD propose, lui aussi, une illustration sonore significative par le choix des instruments, les arrangements, l'interprétation et les bruitages.

Mais l'enfant ne pourra s'aider de toutes ces correspondances que dans une situation vécue. L'adulte comme l'enfant doivent donc être actifs et jouer avec leur corps de façon aussi expressive que possible.

En effet, pour comprendre, l'enfant a besoin d'expérimenter par son corps. Dans les premières comptines (jeux avec l'adulte, chansons mimées), les gestes sont un soutien solide car ils sont très proches du sens du texte.

À QUEL ÂGE PEUT-ON COMMENCER ?

Il n'y a pas de réponse unique à cette question. On peut évidemment chanter et faire écouter dès le berceau les chansons et les berceuses... Les jeux de doigts et les comptines suivent tout naturellement le développement général de l'enfant. Faites confiance à vos intuitions. Allez vers ce qui motive votre enfant, ce qui aiguise sa curiosité.

Les comptines présentées ici s'adressent aussi aux plus grands, dans le cadre scolaire par exemple. Devant un groupe, le rythme sera différent, les activités pourront être plus variées et les jeux collectifs prendront un autre relief.

UNE SENSIBILISATION À UNE AUTRE LANGUE PEUT-ELLE CONCERNER TOUS LES ENFANTS ?

Cette richesse culturelle s'affirme aujourd'hui comme une nécessité. Tous les enfants, et pas seulement ceux des familles « bilingues », sont concernés. Une approche précoce par le jeu favorise l'assimilation d'une langue étrangère.

À l'école comme dans la famille, on peut inviter les enfants à en faire la découverte. Plus tôt l'enfant aura été mis au contact d'une langue étrangère, moins il développera de blocages dans ses futurs apprentissages et plus il comprendra le jeu qui existe d'une langue à l'autre.

QUEL EST LE RÔLE DE L'ADULTE DANS CETTE DÉCOUVERTE ?

Pour créer chez l'enfant le désir de communiquer dans une langue étrangère, l'adulte doit lui-même exprimer son propre plaisir de découvrir cette langue avec lui.

Comme on le fait naturellement en français, on peut donc jouer et mimer ces comptines allemandes aux moments privilégiés d'échange, fréquents dans la vie de l'enfant.
Il faut aussi très vite mémoriser les paroles et les gestes des jeux pour les retrouver spontanément. Pour aider l'enfant, il est en effet très important de savoir « parler avec son corps ». La qualité des gestes de l'adulte (expressivité du visage, des mains, du corps) est primordiale pour la compréhension.

L'adulte peut être amené à répondre à un enfant qui l'interroge sur la signification précise des textes. On en fera alors le récit en évitant une traduction mot à mot. Mais surtout, on exploitera toute situation nouvelle qui permet de réutiliser, dans un autre contexte, les termes et expressions déjà rencontrés dans les comptines.

COMMENT UTILISER LES DIFFÉRENTS SUPPORTS ?

Les différents supports (livre et CD) sont à la fois complémentaires et indépendants.

Pour découvrir le sens des comptines, on peut bien sûr utiliser en même temps le livre et le CD. Mais l'écoute du CD entier demande du temps. Il semble donc difficile de suivre page à page sur le livre avec de jeunes enfants.

Très vite, on exploitera donc séparément le livre et le CD.
Avec l'album, l'enfant explore les illustrations et peut retrouver, de mémoire, les comptines françaises ou allemandes qu'il commence à connaître.
Avec le CD, il peut profiter de la musique et chanter avec d'autres enfants, s'entraînant ainsi à mémoriser les textes.

QUELLES EXPLOITATIONS PEUT-ON FAIRE DE CES COMPTINES ?

Certaines comptines se prêtent bien à une mise en scène. Avec des objets parfois très simples (marionnettes, peluches, poupées...) ou pourquoi pas en dessinant, l'adulte invente une situation de communication très riche.

On joue les différents personnages et, avec eux, on invente dialogues et récits créant ainsi un véritable « bain de langage ».

D'autre part, avec les explications des jeux traditionnels, nous présentons dans ce livret quelques suggestions pour en inventer d'autres, en particulier en allemand, car les comptines peuvent être utilisées pour des jeux toujours renouvelés.

Ouverture
pages 4-5

Cette première double page est une ouverture. Elle constitue le premier contact avec la langue allemande. Les deux textes présentent le thème de la lune, image poétique essentielle qui fascine les enfants.

Punkt, Punkt

Cette petite phrase évoque le dessin stylisé du visage de la lune, que peuvent réaliser les enfants dès qu'ils commencent à tracer des motifs très simples et en particulier le bonhomme.

Punkt, Punkt,
Komma,
Strich,
fertig ist das Mondgesicht.

On peut rapprocher ce petit jeu du fameux texte français :
Zéro plus zéro égale la tête à Toto.

Zéro plus zéro

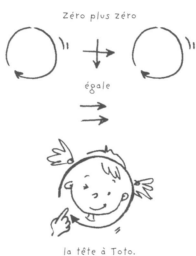

égale

la tête à Toto.

Au clair de la lune

Le décor est posé pour la plus populaire des chansons enfantines françaises. L'origine de la mélodie (comme des paroles) est confuse. On l'attribue parfois à Lully mais c'est surtout au XIXᵉ siècle que la chanson est rendue populaire, via une figure emblématique de la comme-dia dell'arte : le Pierrot lunaire et sa célèbre rêverie. C'est à cette époque aussi qu'apparaît, chantée sur le même air, cette petite comptine :

Au clair de la lune, trois petits lapins
Qui mangeaient des prunes
Comme des petits coquins.
La pipe à la bouche, le verre à la main,
Ils disaient : « Mesdames,
Servez-nous du vin,
Jusqu'à demain matin. »

Enfantines
pages 6 à 9

On appelle « enfantines » tous les « jeux de nourrice », à la fois verbaux et corporels, que l'adulte fait avec le petit enfant. On y joue souvent lors des moments qui rythment la vie quotidienne des petits (réveil, toilette, repas, coucher, câlin...). Au départ, le bébé est passif mais très réceptif à la présence de l'adulte et au plaisir des sauts, des balancements, des caresses, des chutes, etc.

Ce type de jeux, dans un climat affectif sécurisant, aide l'enfant à se construire. Il découvre son corps, celui de l'autre, et le plaisir de l'échange. Il devient sensible à la musique, à la langue, à la poésie et à l'humour. Il élabore sa propre parole et commence à explorer le monde par le biais des petites histoires chantées.

L'enfant, même plus grand, se trouve vis-à-vis des langues étrangères un peu dans la même situation que l'enfant qui apprend à parler. Nous lui proposons ici de retrouver le soutien et la richesse de l'échange avec l'adulte, pour communiquer dans une langue nouvelle. C'est parce que l'enfant trouve ses repères dans sa langue maternelle qu'il pourra les transposer dans la langue étrangère.

Kommt eine Maus
C'est la petite bête qui monte

La petite bête, c'est le petit animal doux comme une peluche mais qui se faufile, que l'on ne peut pas attraper, comme une souris ou un insecte...

Avec ses doigts, l'adulte imite cette petite bête qui monte le long du bras de l'enfant jusqu'au cou (dans la comptine française) ou au creux de l'oreille (dans la comptine allemande). Le plaisir du jeu naît alors d'une ambiguïté chez l'enfant, partagé entre sa peur et son envie d'être chatouillé.

Hopp, hopp, hopp
À cheval sur mon bidet

Voici deux comptines très classiques où l'adulte fait sauter l'enfant à califourchon sur ses genoux. Le thème du petit cheval, bien qu'il fasse moins partie du quotidien des enfants, reste bien présent dans leur univers imaginaire (jeux, jouets).

Le texte allemand replace l'enfant dans sa propre expérience de la marche, des obstacles et des chutes. Tandis que le texte français est surtout humoristique. À noter : *À Versailles* viendrait du verbe *verser* (dans le fossé) + *aïe*.

Dans les deux textes, l'adulte donne le rythme et joue sur les accélérations, les ralentissements, les silences et les arrêts qui renforcent la surprise et le suspens.

Ces comptines peuvent aussi être dites à l'occasion de parties de balançoire, de manège ou lorsque l'enfant est sur un cheval à bascule. La comptine allemande, par sa mélodie, peut également être mimée à plusieurs : on peut alors représenter une parade de chevaux de cirque.

À cheval sur mon bidet,
quand il trotte il fait des pets !

Notons l'existence de cette autre comptine très connue outre-Rhin :

Hoppe Hoppe Reiter,
  À cheval cavalier !
Wenn er fällt, dann schreit er.
  Quand il tombe, il crie.
Fällt er in den Graben,
  Quand il tombe dans le fossé,

Fressen ihn die Raben.
  Les corbeaux le mangent.
Fällt er in den Sumpf,
  Quand il tombe dans le marécage,
Macht der Reiter plumps!
  Le cavalier fait plouf !

Jeux de doigts avec l'adulte
pages 10-11

La main, outil privilégié de communication, est aussi un riche support de l'imaginaire. Entre caresse et massage, on manipule les doigts ou les orteils des enfants pour les faire bouger. Au départ, ce sont des « enfantines » jouées avec l'adulte puis, peu à peu, en grandissant, l'enfant dit lui-même la comptine en se servant de ses propres mains ou de celles de quelqu'un d'autre, un adulte par exemple.

Les textes de cette double page présentent des thèmes variés : animaux, fruits, voyages, conversations...

Quand je suis monté

On suit les étapes du marcheur en caressant le contour des doigts de l'enfant pour monter et descendre.

Klopf, Klopf, Klopf

Cette comptine présente les phrases simples d'une conversation quotidienne.

1. Jeu de doigts

Avec les deux mains :

On met les deux mains l'une contre l'autre, on décolle les paumes de manière à ce que les bouts de doigts se touchent : par exemple, pouce contre pouce, annulaire contre annulaire, etc. (comme pour simuler un toit pointu).

Klopf, Klopf, Klopf!
    On frappe trois fois les deux pouces l'un contre l'autre.
Wer ist da?
    On frappe trois fois les deux auriculaires l'un contre l'autre.
Ich bin da!
    On frappe trois fois les deux index l'un contre l'autre.
Komm herein!
    On frappe trois fois les deux annulaires l'un contre l'autre.
Guten Tag! Guten Tag!
    En disant *Guten Tag* la première fois, on croise trois fois les deux majeurs du même côté.
    En disant *Guten Tag* la deuxième fois, on croise trois fois les deux majeurs du coté opposé.

2. Jeu mimé

Un enfant sort de la classe et frappe à la porte en disant :
    Klopf, Klopf, Klopf!
En classe, les enfants demandent collectivement :
    Wer ist da?
L'enfant répond :
    Ich bin da!
Les enfants l'invitent à entrer en disant collectivement :
    Komm herein!
L'enfant qui était devant la porte entre et va saluer ses camarades en disant :
    Guten Tag!

Das ist der Daumen

À chaque phrase de la comptine, on attrape un doigt de la main de l'enfant, du pouce à l'auriculaire. Petit à petit, l'enfant pourra lui-même jouer l'histoire avec sa propre main. La cueillette des prunes est ici l'occasion d'un jeu de mot entre *Daumen* (le pouce) et *Pflaumen* (les prunes).

Cette comptine est très proche, dans sa structure, de la comptine française *Un gros lézard...* Le *der* de la comptine allemande correspond en effet au *celui-là* (répété quatre fois) d'*Un gros lézard.*

Un gros lézard est passé par là.
Celui-là l'a vu.
Celui-là l'a tué.
Celui-là l'a fait cuire.
Celui-là l'a mangé.
Et le petit a dit :
« Et moi, on m'oublie ! »

Nommer son corps
pages 12 à 15

Les différentes parties du visage et du corps sont parmi les premières choses que l'on apprend à nommer. En prenant conscience de son corps, l'enfant se repère davantage dans l'espace. Il peut aussi mieux le comprendre et l'exprimer.

Grâce à ce type de jeux dansés, l'enfant va coordonner gestes et paroles, puisqu'il désigne les parties de son corps en suivant le rythme et la musique. Cette coordination, bien que difficile, lui permet de transposer ses précieux repères corporels dans la langue étrangère.

L'effet comique est garanti, surtout si l'on retrouve au sein du groupe la joie du mouvement collectif.

Meine Augen
sind verschwunden

Les petits ont beaucoup de plaisir à se cacher, comme dans le jeu de « coucou ». En chantant, on cache la partie du corps citée puis on la montre avec les index. Notons qu'on peut étendre le jeu à d'autres objets que le corps.

D'un point de vue linguistique, l'enfant, en s'adaptant aux variations du texte qui désigne tantôt un, tantôt deux éléments symétriques, va intégrer les formes du singulier, du pluriel, du masculin, du féminin. Par exemple :

Meine Nase ist verschwunden
Meine Augen sind verschwunden

Meine Augen sind verschwunden,

ich habe keine Augen mehr.

Ei, da sind meine Augen wieder...

Ei so tanzt der Hampelmann
Jean Petit qui danse
Ces deux chansons sont pratiquement identiques. En français comme en allemand, on anime une à une les différentes parties du corps. Le but du jeu étant bien sûr de les passer toutes en revue ! À la fin, tout le corps est délié et s'exprime sur cet air de fête.

Les enfants prendront de l'assurance grâce aux répétitions nombreuses du texte et aux plages en play-back sur le CD qui leur permettront de danser et chanter sur la musique.

Chansons mimées
pages 16 à 19

L'adulte a déjà raconté une histoire avec les mains de l'enfant. Ici, c'est l'enfant qui utilise sa main et son corps pour s'exprimer et communiquer. Mimer un texte lui permet d'en fixer le sens.

Il est très important de noter que les gestes qui sont suggérés ne doivent pas empêcher l'interprétation personnelle de chacun.

Die kleine Schnecke Max
Cette petite chanson très simple évoque de façon implicite le désir des enfants de s'éloigner de leurs parents pour explorer le monde.

Si cette chanson plaît à votre enfant, vous pouvez lui proposer la deuxième strophe :

So vierzig Tage lang
  Ainsi pendant 40 jours
  On marche en cadence.
Kroch sie geradeaus
  Il a rampé droit devant lui,
  Idem + la main indique « tout droit ».
Dann hatte sie genug,
  Puis il en a eu assez,
  La main fait le geste « ça suffit ».
Verschwand ins Schneckenhaus.
  Et il est rentré dans sa maison.
  La « main coquille » recouvre le corps de Max.

Die kleine Schnecke Max,

wollt' sich die Welt beseh'n,

nahm's Häuschen huckepack

und sagt : „Auf Wiederseh'n".

Petit escargot

Cette petite histoire, très proche de la chanson allemande, peut être simplement chantée ou mimée.

Petit escargot
   On dessine une spirale dans l'espace.
Porte sur son dos
   On tient les bretelles d'un sac à dos imaginaire.
Sa maisonnette.
   Les mains forment un toit au-dessus de la tête.
Aussitôt qu'il pleut,
   On frappe un doigt sur la paume de la main pour imiter la pluie.
Il est tout joyeux,
   On sourit.
Il sort sa tête.
   On grandit le torse à la manière de l'escargot qui sort de sa coquille.

In dem Wald
Un grand cerf

Les deux chansons sont presque identiques. On les mime avec tout le corps. Et l'on peut aussi imaginer des jeux de rôle.

Dans sa maison, un grand cerf

regardait par la fenêtre,

un lapin venir à lui

Toc !
Toc !

et frapper chez lui :

« Cerf, cerf, ouvre-moi,

ou le chasseur me tuera.

— Lapin, lapin, entre et viens me serrer la main. »

Jeux à deux

pages 20-21

Il s'agit maintenant pour l'enfant d'organiser son jeu sans l'adulte et de collaborer avec d'autres enfants. C'est une étape importante dans sa socialisation : il ne bénéficie plus du soutien et de l'assurance offerts par l'adulte. Il doit faire confiance à sa propre initiative et non plus réagir uniquement par mimétisme. Avec les autres enfants, il doit donc à la fois s'adapter et s'affirmer.

La barbichette

Le rapport de force est central dans ce jeu. Le plaisir du contact avec l'autre et l'humour de la situation dédramatisent l'enjeu mais les enfants y jouent souvent avec beaucoup de sérieux.

Brüderchen komm tanz mit mir

Les enfants peuvent jouer à deux puis en groupe en changeant les couples. En soutenant la cadence et l'enchaînement des gestes, on aide l'enfant à préciser les paroles.

Brüderchen komm tanz mit mir,
    On frappe le rythme avec les pieds.
Beide Hände reich' dir.
    On se donne les mains face à face.

Brüderchen komm tanz mit mir,

beide Hände reich' ich dir.

Einmal hin, einmal her,

rundherum, das ist nicht schwer!

Einmal hin, einmal her,
    On bascule à droite, puis à gauche.
Rundherum, das ist nicht schwer!
    On tourne sur soi-même.

Le deuxième couplet est la transposition au féminin :
Schwesterchen (petite sœur) *komm tanz mit mir...*

Jeux collectifs

pages 22 à 25

Dans les jeux collectifs, les comptines deviennent les garants de la règle du jeu ; ce sont des formules qui lient les joueurs par un pacte tacite, quasi-magique. L'enfant prend conscience de sa place dans le groupe, éprouvant à la fois le plaisir de collaborer pour l'accomplissement du jeu mais aussi parfois la frustration éventuelle du perdant.

On trouve dans ces « jeux collectifs » beaucoup de textes extravagants issus de ce folklore enfantin transmis dans les cours de récréation. La logique cède la place à la rime et au rythme...

Ces jeux sont souvent internationaux mais les textes varient ; nous avons choisi des jeux soit identiques, soit présentant des règles très simples.

Les textes de cette double page offrent aux enfants le plaisir de mener le jeu ou d'être choisi par un ami.

Les deux comptines allemandes intègrent les prénoms des enfants qui participent au jeu.

Mein rechter Platz ist leer

Les enfants sont assis en cercle, chacun sur une chaise. On place une chaise de plus qu'il n'y a de joueurs. L'enfant qui a la chaise vide à sa droite dit la comptine en citant le nom d'un autre enfant qui libère alors sa place, pour venir s'asseoir sur la chaise vide. L'enfant qui se trouve avec la chaise vide à sa droite appelle alors un autre enfant, etc.

Si le jeu est fait systématiquement à droite, il aide à développer une bonne latéralisation.

Tschu - Tschu - Tschu
Roulez chemins de fer

Le thème du train est commun à ces deux comptines.

Un enfant est la locomotive. Il chante en imitant le train avec ses bras. À la fin du texte, il choisit un ami qui s'accroche derrière lui. Le jeu se poursuit jusqu'à ce que tout le monde soit monté dans le train.

Danses
pages 26 à 29

Comme les jeux collectifs, les danses permettent à l'enfant de s'exprimer au sein d'un groupe. Soutenu par la cadence, l'enfant apprend à harmoniser ses gestes et à suivre une musique. Il en tire généralement un grand plaisir. À l'unisson avec les autres, il découvre ainsi des figures fondamentales : la ronde, la farandole, le couple, etc.

Les deux danses de ces deux doubles pages, encore proches des chansons mimées, mettent en scène un petit lapin familier qui pourrait être le jouet préféré, le « doudou » en peluche. Les paroles et les gestes sont très similaires dans les deux langues.

Ces jeux où l'enfant apprend à porter attention à l'autre et à l'encourager s'adressent plus particulièrement aux tout-petits.

Mon petit lapin

Mon petit lapin a bien du chagrin,
il ne saute plus dans son p'tit jardin.

Saute ! Saute ! Saute, mon petit lapin !

Et dépêche-toi d'embrasser quelqu'un
que tu aimes bien.

Häschen in der Grube

Häschen in der Grube,

saß und schlief,
saß und schlief.

Comptines
à désigner
pages 30 à 33

Ich und du
Un petit cochon
Eine kleine Mickeymaus
Pin-pon d'or

Les comptines à désigner jouent beaucoup avec l'humour absurde. Ce sont des textes extravagants tout à fait représentatifs du folklore enfantin. Chaque fois que l'on doit désigner un enfant au sein d'un groupe, il est beaucoup plus amusant de passer par le plaisir de la comptine que par un choix arbitraire.

Dans ces doubles pages apparaissent des personnages farfelus et comiques souvent puisés dans le registre animalier. Ces quatre comptines à désigner s'appuient surtout sur le rythme et la rime pour exprimer leur fantaisie burlesque. Pour chacune d'elles, on se place en cercle et le meneur touche un à un les enfants jusqu'à l'injonction de sortie qui désigne l'exclu (ou l'élu !).

Armes Häschen bist du krank,
daß du nicht mehr hüpfen kannst?

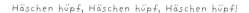

Häschen hüpf, Häschen hüpf, Häschen hüpf!

Textes et chansons
pages 34 à 37

Avec la chanson, l'enfant n'a plus que le soutien de la musique, sans support gestuel, pour jouer avec la langue. Ces doubles pages nécessitent donc toute l'approche préalable des jeux précédents au cours desquels l'enfant aura progressivement vaincu sa timidité face à l'allemand. Nous avons donc choisi des textes simples, que l'enfant pourra s'amuser à retenir progressivement.

Das ist die Katze
Cette comptine n'est pas une chanson à proprement parler. Elle peut toutefois être « chantonnée » pour aider l'enfant à mémoriser les paroles. On peut tout à fait amener l'enfant à mimer les différents animaux dont il est question dans le texte. C'est l'occasion de remarquer qu'ils ne « crient » pas de la même manière dans toutes les langues !

Alle meine Entchen
Les petits poissons dans l'eau
Là encore, le thème des animaux domestiques se prête bien aux imitations que les enfants aiment beaucoup et qui les aident à mémoriser le texte et son sens.

Noël allemand
pages 38-39

Advent, Advent
Kling, Glöckchen
La période de l'Avent, qui précède le 24 décembre, est traditionnellement très importante en Allemagne. Tout au long du mois, l'attente est rythmée par des rituels qui participent à créer l'atmosphère de mystère, de beauté et de poésie qui entoure Noël. C'est un moment privilégié pour témoigner son affection aux autres. Chacun prépare en cachette des surprises, comme le gentil lutin Wichtel, qui a donné son nom à cette coutume : *Wichteln*. On décore la maison et, chaque dimanche, on allume une des quatre bougies posées sur une couronne de branches de sapin.

On fête saint Nicolas, le 6 décembre. Enfin, le 24, à l'arrivée du Père Noël et du petit Jésus (mélange étrange de figures religieuses et païennes), les enfants chantent *Kling, Glöckchen* pour leur ouvrir leurs portes et leurs cœurs.

Berceuses
pages 40-41

Avec les berceuses, l'enfant peut être très tôt sensibilisé à la musicalité d'une langue. Ce moment privilégié de tendresse qui précède le sommeil est en effet propice à l'imprégnation linguistique.

Les deux berceuses de cette double page ne présentent pas de véritable correspondance. Pour donner des clefs de compréhension à l'enfant, on lui décrira éventuellement la scène présentée.

Schlaf, Kindlein, schlaf
Les images du texte (berger, moutons, arbre) expriment la paix, la douceur, la protection.

Dodo, l'enfant do
La première partie de cette berceuse chantée sur l'air d'un vieux carillon est très ancienne. On peut la personnaliser en intégrant le prénom de l'enfant bercé.

On peut aussi la faire suivre d'une autre berceuse, comme :

C'est la petite poulette noire
qui a pondu dans l'armoire.

C'est la petite poulette blanche
qui a pondu sur la planche.

C'est la petite poulette grise
qui a pondu dans la remise.
(ou : *qui a pondu dans l'église*)

LES TRADUCTIONS

ALLEMAND > FRANÇAIS

Punkt, Punkt, p. 4
Point, point,
Virgule, trait,
Le visage de la lune est terminé.

Kommt eine Maus, p. 6
Arrive une souris,
Elle entre dans la maison,
Veut entrer ici,
Veut entrer ici,
Veut entrer ici !

Hopp, hopp, hopp, p. 8
Hopp, hopp, hopp,
Petit cheval, va au galop !
Par monts et par vaux,
Mais ne te casse pas les pattes !
Hopp, hopp, hopp, hopp, hopp,
Petit cheval, va au galop !

Klopf, klopf, klopf, p. 10
Toc, toc, toc !
Qui est là ?
C'est moi !
Bonjour !
Bonjour !

Das ist der Daumen, p. 11
Voici le pouce,
Celui-ci secoue les prunes,
Celui-ci les ramasse,
Celui-ci les ramène à la maison,
Et le petit,
Il les mange toutes !

**Meine Augen sind
verschwunden,** p. 12
Mes yeux ont disparu,
Je n'ai plus d'yeux.
Ah ! Mes yeux sont revenus,
Tralalalalalala !
(... Mes oreilles, mon nez, etc.)

Ei so tanzt der Hampelmann,
p. 13
Ainsi danse le pantin (Polichinelle)
Ainsi danse le pantin (Polichinelle)
Avec sa tête, tête, tête,
Ainsi danse le pantin !
(... Avec sa main, avec son bras,
avec son pied, etc.)

Die kleine Schnecke Max, p. 15
Max, le petit escargot,
Voulut admirer le monde,
Il prit sa maison sur son dos
Et dit : « Au revoir ».

In dem Wald, p. 18
Dans la forêt, il y a une maison,
Un cerf regarde par la fenêtre.
Un petit lapin accourt à toute
    vitesse,
Frappe au mur.
– Aide-moi, aide-moi, je suis
    en grand danger
    Sinon le chasseur me tuera !
– Pauvre petit lapin, entre,
    Donne-moi la main !

**Brüderchen komm tanz
mit mir,** p. 21
Petit frère, viens et danse
    avec moi,
Je te tends les deux mains,
Une fois par-ci,
Une fois par-là,
Tourner en rond, ça n'est pas
    difficile.

Mein rechter Platz ist leer,
p. 22
La place qui est à ma droite
    est vide,
Je souhaite que Thomas y vienne.

Tschu - Tschu - Tschu, p. 23
Tchou - Tchou - Tchou
Le train !
Qui veut aller avec moi à Munich ?
Je n'aime pas voyager seul,
Alors j'emmène Julien !
Viens, viens, Julien !

Häschen in der Grube, p. 25
Un petit lapin, dans son terrier,
Était assis et dormait,
Était assis et dormait.
Petit lapin es-tu malade,
Pour que tu ne puisses plus
    sauter ?
Saute petit lapin, saute petit lapin,
Saute petit lapin !

Ich und du, p. 30
Moi et toi,
La vache des Müller,
L'âne des Müller,
Celui-là, c'est toi !

Eine kleine Mickeymaus, p. 32
Un petit Mickey
Enlève sa culotte
    (ou son pantalon)
La remet
Et c'est ton tour !

Das ist die Katze, p. 53
Voici le chat,
Il fait : « Miaou ! »
Voici le chien,
Il fait : « Ouah - ouah ! »
Voici la vache,
Elle fait : « Meuh - meuh ! »
Voici le mouton,
Il fait : « Mêêê - mêêê ! »
Voici le petit cochon,
Il fait : « Groin, groin ! »

Alle meine Entchen, p. 36
Tous mes petits canards
Nagent sur le lac,
Nagent sur le lac.
Leur petite tête dans l'eau,
La queue vers le haut.

Advent, Advent, p. 38
Avent ! Avent !
Une petite lumière brûle.
D'abord une,
Puis deux,
Puis trois, puis quatre,
Puis l'enfant Jésus se tient
    devant la porte.

Kling, Glöckchen, p. 39
Résonne, clochette, klingelingeling,
Résonne, clochette, résonne !
Laissez-moi entrer les enfants,
L'hiver est si froid,
Ouvrez-moi les portes,
Ne me laissez pas mourir de froid !
Résonne, clochette, klingelingeling,
Résonne, clochette, résonne !

Schlaf, Kindlein, schlaf, p. 40
Dors, petit enfant, dors,
Le papa garde les moutons,
La maman secoue le petit arbre,
De là tombe un petit rêve.
Dors, petit enfant, dors.

FRANÇAIS > ALLEMAND

Au clair de la lune, p. 5
Im Mondschein,
Mein Freund Pierrot,
Leih' mir deine Feder,
Damit ich etwas schreiben kann.

**C'est la petite bête
qui monte,** p. 7
Das ist das kleine Tierchen,
Das klettert auf den Dachboden,
Die Katze will es fangen,
Kille, kille, kille...

À cheval sur mon bidet, p. 9
Rittlings auf meinem Pferdchen,
Wenn es trabt, läßt es Winde
    fahren!
Pfft, pfft, pfft, kadett!
Im Schritt, im Schritt, im Schritt.
Im Galopp, im Galopp, im Galopp!
Nach Versailles...

Quand je suis monté, p. 10
Als ich auf den dicksten
    gestiegen bin,
War mir zu warm.
Als ich auf den spitzesten
    gestiegen bin,
Habe ich nichts gesehen.
Als ich auf den größten
    gestiegen bin,
Hatte ich Zahnschmerzen.
Als ich auf den schönsten
    gestiegen bin,
Hatte ich Rückenschmerzen.
Als ich auf den kleinsten
    gestiegen bin,
Habe ich gesagt : „Es reicht mir!"

Jean Petit qui danse, p. 13
Klein-Hans, der tanzt,
Klein-Hans, der tanzt,
Mit seinem Finger tanzt er,
Mit seinem Finger tanzt er,
Mit seinem Finger, Finger, Finger
So tanzt Klein-Hans.
(... mit seiner Hand, mit seinem
Arm, mit seinem Fuß usw., mit
seinem ganzen Körper).

Petit escargot, p. 17
Kleine Schnecke,
Trägt ihr Häuschen huckepack.
Sobald es regnet,
Freut sie sich,
Sie streckt den Kopf heraus.

Un grand cerf, p. 19
In seinem Haus sah ein großer
    Hirsch
Vom Fenster aus
Einen Hasen auf ihn zulaufen
Und bei ihm anklopfen:
„Hirsch, Hirsch, öffne mir,
Sonst schießt mich der Jäger
    tot.
– Häschen, Häschen, komm
    herein und
Reich' mir deine Hand."

La barbichette, p. 20
Ich halte dich,
Du hältst mich
Am Kinnbärtchen.
Wer von uns als erster lacht,
Der kriegt einen Klaps.

Roulez chemins de fer, p. 23
Rollt, rollt, Eisenbahnen rollt,
Wie das fährt, wie das fährt.
Rollt, rollt, Eisenbahnen rollt,
Wie das fährt, schaut her.

Mon petit lapin, p. 28
Mein Häschen hat großen
    Kummer,
Es hüpft nicht mehr in seinem
    Gärtchen.
Hüpf! Hüpf! Hüpf, mein
    Häschen!
Und beeile dich, jemanden
    zu küssen,
Den du gern hast.

**Un petit cochon pendu
au plafond,** p. 31
Ein Schweinchen
Hängt an der Decke,
Zieht es am Schwanz,
Dann legt es Eier, zieht stärker,
Dann legt es Gold.
Gold oder Silber,
Bei Silber bist du drin,
Bei Gold bist du' raus.

Pin-pon d'or, p. 33
Ding dong Gold,
Das ist zum hachen,
(*rigolette* : mot inventé à partir
de *rigoler*)
Ding dong Gold,
Sie ist draus!

Les petits poissons dans l'eau,
p. 37
Die kleinen Fischlein im Wasser
Schwimmen, schwimmen,
    schwimmen, schwimmen,
Die kleinen Fischlein im Wasser
Schwimmen genauso gut
    wie die großen.
Die großen, die kleinen,
Die schwimmen auch gut,
Die kleinen, die großen,
Die schwimmen tadellos.

Dodo, l'enfant do, p. 40
Heiapopeia, Kind, heia,
Das Kind wird sehr schnell
    schlafen,
Heia popeia, Kind, heia,
Das Kind wird sehr bald
    schlafen.
Das ist die kleine rote Henne,
Die hat ins Moos
Ein hübsches kleines Ei gelegt,
Für Lucas, der gleich schläft.

Ⓟ et © Didier Jeunesse, 2002
8, rue d'Assas, 75006 Paris – www.didierjeunesse.com
Mise en pages : Isabelle Southgate,
Claire Robert et Catherine Ea
Photogravure : AGC et Jouve Orléans
Gravure de musique : Patrice Launay

ISBN : 978-2-278-05313-1 – Dépôt légal : 5313/07
Achevé d'imprimer en France en octobre 2011
Loi n° 49-956 du 16 juillet 1949
sur les publications destinées à la jeunesse
Ce livre a été imprimé chez Clerc,
imprimeur certifié Imprim'Vert.